Teide

Tenerife es la mayor de las Islas Canarias (2.057 km²) y, como casi todas ellas, se caracteriza por una orografía accidentada, definida, entre otras cosas, por la presencia de una cumbre montañosa que se extiende por su superficie de nordeste a sudoeste. El remate de esta formación está situado en la gran caldera volcánica de Las Cañadas, gran circo geológico, culminación en altura de la isla, en el interior del cual emerge el Pico del Teide, impresionante cono volcánico que alcanza unos 3.717 metros de altura sobre el nivel del mar, lo que le convierte en el techo del territorio español.

3

5

El conjunto fue declarado Parque Nacional el 22 de enero de 1954, con una superficie de 135 km², extendida por los municipios de La Orotava, Guía de Isora, Santiago del Teide e Icod de los Vinos. El problema de su origen ha sido materia de discusión entre los científicos: según Carracedo es fruto de un episodio de actividad volcánica, acontecido hace unos tres millones de años, que dio como resultado una gran cúpula de entre 3.000 y 5.000 metros de altura. Martínez de Pisón y Quirantes piensan, en cambio, en la formación de una estructura geológica irregular, jalonada por valles. Araña habla de varias fases y otros tantos momentos eruptivos. Hoy, la teoría predominante, con algunos matices, es la de la gran cúpula, aunque sigue habiendo discrepancias a la hora de explicar cómo surgió la depresión de Las Cañadas, la enorme caldera que rodea al pico, jalonado por una gran muralla de 12 por 17 km, aunque las hipótesis más defendidas son las del deslizamiento y el hundimiento.

En el interior de Las Cañadas, al norte del anfiteatro natural, encontramos el conjunto formado por el Teide-Pico Viejo, similar a un tronco de cono, que se eleva hasta los 1.700 metros desde la base. En realidad, se trata de un edificio compuesto por la superposición de varios volcanes correspondientes a otras tantas erupciones: el Pico Viejo, Montaña Blanca, Pico Cabras y las Narices del Teide. Rematando la estructura está el Pan de Azúcar o Pilón, que se levanta

Visitando el Parque Nacional.

Doble página anterior: el Teide desde los Roques

Mar de nubes ·
visto desde la cercanías
del Parque.

desde la depresión de La Rambleta,
del que aún hoy salen fumarolas,
señal inequívoca de un vulcanismo
aún activo. En los últimos siglos se
han sucedido las erupciones, siendo la
de mayor relevancia la acontecida a
finales del siglo XVIII, en el año 1708.
La última explosión tuvo lugar en esta
centuria, en la vertiente occidental del
cono, por las Narices del Teide.
El Teide es para muchos el símbolo de
este Archipiélago y puede ser divisado
desde la mayoría de las islas,
especialmente en invierno, cuando es
frecuente verlo cubierto de una capa

de nieve que a veces baja por sus
laderas y ocupa el entorno próximo de
Las Cañadas. A los pies del Pico
descansa el Llano de Ucanca, una
amplia extensión limitada el norte por
los Roques de García, al oeste y sur
por terminaciones de coladas de lava,
y al este por la pared de la Cumbre
de Ucanca.
A lo largo y ancho de Las Cañadas
encontramos numerosas coladas de
lava solidificadas; es el dominio del
típico *malpaís* donde es posible
encontrar la más variada gama de
colores, especialmente en el área de

Doble página
siguiente, el Teide
nevado.

En estas dos páginas
se aprecia...

...la variedad geológica
del Parque.

12

Los Azulejos, cerca del Parador de
Turismo. Junto a las formaciones
lávicas hacen acto de presencia
también las bombas volcánicas
–algunas de gran tamaño–, el lapilli y
las cenizas. Estos signos definen un
conjunto cuyo entorno queda
perfectamente delimitado, al sur, este
y oeste, por altas paredes jalonadas
por distintas vaguadas o cañadas
conocidas, precisamente, por el
apelativo de Las Cañadas del Teide.
En ellas se han ido depositando
materiales desplazados por la
dinámica erosiva formando planicies
más o menos extensas.
Estas cañadas ya eran conocidas
desde antiguo por los aborígenes
tinerfeños, los *guanches*, que las
utilizaban para la trashumancia de sus

13

ganados. En efecto, los primitivos
tinerfeños basaban su subsistencia
fundamentalmente en las actividades
ganaderas, de manera que el cuidado
de cabras y ovejas ocupaba un lugar
predominante en el quehacer diario de
los distintos reinos o *menceyatos* en
que estaba dividida la isla. Cada una
de estas unidades políticas tenía un
territorio propio, pero tal exclusividad

no regía para la zona de cumbro y,
singularmente, para el área de alta
montaña, incluidas Las Cañadas, que
eran consideradas como unas franjas
de pastoreo común a las cuales
llevaban los rebaños durante el
verano. Esta utilización ha sido
confirmada por el hallazgo de
numerosos restos arqueológicos.
Por otra parte, algunos estudiosos de

la religión de los primeros pobladores de Canarias han puesto de manifiesto la significación que poseían para estos hombres las montañas: básicamente tenían una concepción maniqueísta del universo, con un deidad del bien –llamada «Acorán», «Aborá», «Orahán», etc, según las islas y según las interpretaciones hechas– en contraposición con otra maligna, que en el caso de Tenerife era «Guayota» y cuya residencia estaba, precisamente, en el interior de «Echeide», es decir, el Teide.

El paisaje nevado de Las Cañadas.

14

El clima del Parque tiene las características del de alta montaña, definido, entre otras cosas, por la altura, con una temperatura media que ronda los 9º C, aunque existe una gran oscilación entre la noche y el día. El nivel de insolación es alto y las precipitaciones son diversificadas a lo largo del año, con lluvias intensas en el invierno, combinadas con algunas nevadas también intensas, especialmente en las laderas del norte del Teide, las cuales pueden durar varios meses; no sucede así en las

propias Cañadas, donde la presencia de las nieves es más corta en el tiempo.

Las duras condiciones ambientales, las variaciones de temperatura, la insolación y la aridez, pudieran hacer pensar que en este paisaje la geología lo domina todo; nada más lejos de la realidad. Entre los restos de pasados episodios volcánicos vemos desarrollarse la vida, especialmente manifestada en la riqueza peculiar de su flora, puesta de manifiesto sobre todo durante la estación primaveral.

La vegetación destaca por su originalidad macaronésica, aunque algunas especies son exclusivas de la zona, manifestando a veces una rareza tal que en nada extraña que llamaran la atención de los científicos ya desde el siglo XVIII. Entre estas plantas descuellan la retama del Teide y el codeso, las dos, en perfecto hermanamiento a veces, se enseñorean del medio. La retama aparece por doquier con su tronco retorcido; aletargada en los meses duros, florece con fuerza en mayo. El achaparrado codeso, con sus flores amarillas, compite en aroma y colorido con la retama.

Conviene destacar también a la hierba pajonera, de largas y espigadas flores amarillas; el alhelí del Teide, presente en las coladas de lava con sus flores rosáceas; la margarita, por cuya simplicidad nadie diría que es una variedad exclusiva del Parque; el tajinaste rojo, impresionante manifestación de la flora macaronésica, de hojas alargadas sobre las que se eleva un protuberancia floral donde predominan unos tonos rojizos acordes con su nombre y que asienta sus reales por las escarpadas laderas; el tajinaste picante; el rosal del guanche y las jaras.

Muy por encima, a partir de los 3.000 metros de altitud, allí donde no

pueden vivir estas otras especies, localizamos la variedad emblemática del Parque: la violeta del Teide, tenida por algunos como la especie vegetal que hinca sus raíces a mayor altura dentro del territorio nacional. Su tamaño no la destaca –a veces casi ni se la ve sobre el terreno–, pero sí su colorido y aroma, únicos en la época de floración. Precisamente en este período es cuando el milagro de la vida alcanza mayor virulencia en todo el entorno, contrastando con un panorama invernal definido por el predominio de arbustos esqueléticos desprovistos de flores y, en ocasiones, cuando las condiciones resultan más extremas, adornados con cristales de hielo.

Pocos son los especímenes de porte arbóreo propios del área que encontramos dentro del Parque; en realidad este apartado queda circunscrito a dos nombres: el cedro canario, de tronco retorcido y

En esta página, dos aspectos del Parque.

Página de al lado, el popular «Zapato de la Reina».

Los Roques.

perfectamente dotado para soportar las duras condiciones de estas alturas y, también, el pino canario, presente en número limitado sobre los escarpes de las paredes.

Entre las especies faunísticas descuellan por su variedad y número los insectos, de los cuales se han identificado más de cuatro centenares. Como ocurría con las plantas, también la vida animal alcanza aquí algunos rasgos de especificidad, aunque su riqueza no es tan destacable. Aparte de los insectos señalar la presencia del lagarto tizón, cuyo hábitat se extiende hasta cotas bastante elevadas. Los mamíferos se hallan representados fundamentalmente por los murciélagos, entre los que destaca el murciélago orejudo, endémico del archipiélago canario.

Doble página siguiente, malpaís de los Azulejos.

El panorama se completa con el apartado referido a las aves, entre las que cabe citar al ocasional cuervo, al pinzón azul, el alcaudón real, la perdiz moruna, el cernícalo y la hermosa abubilla, amén de las palomas bravías. Debemos referenciar también la presencia de algunas especies introducidas como el muflón, junto al omnipresente conejo con su población siempre sometida a los oportunos controles para evitar su excesiva proliferación.

La llegada hasta el Parque puede realizarse desde distintos puntos de la isla a través de carretera. Tomando como referencia la capital insular, Santa Cruz de Tenerife, el trayecto a considerar parte de esta ciudad, subiendo a La Laguna y luego hasta la localidad de El Rosario, donde la vía se introduce en el pinar del Monte de la

Rosa de Piedra en el Parque Natural de la Corola Forestal.

Mina de San José.

Formaciones lávicas del norte.

Vegetación del entorno del Parque.

Doble página anterior, vista de las formaciones lávicas.

En esta página, Minas de San José.

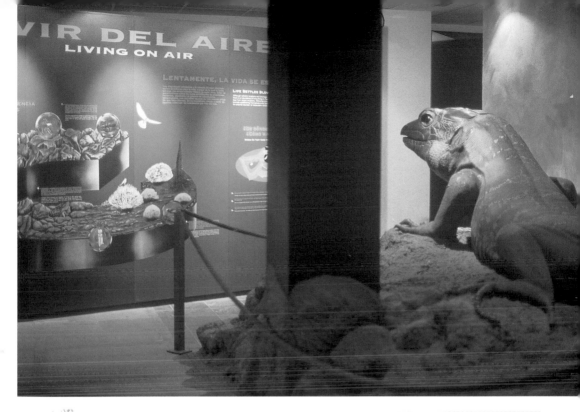

La fauna del Parque tiene su lugar en el Centro de Información.

Hierba pajonera.

En estas páginas, diferentes aspectos de la vegetación del Parque y sus alrededores.

32

33

34

Esperanza, ascendiendo constantemente hasta llegar a Izaña, primero, y posteriormente al Portillo de la Villa. A partir de aquí, sin abandonar el coche, podemos atravesar la caldera o depresión de las Cañadas llegando hasta Boca de Tauce. Otra opción recomendada tiene como punto de partida la localidad turística del Puerto de la

Cruz, en el norte de Tenerife. Tomamos rumbo a La Orotava, y desde allí, ya en plena cumbre, llegamos entre pinos hasta el Portillo de la Villa. Otra posible ruta asciende desde el Sur, de la zona turística comprendida entre Las Américas-Los Cristianos-El Médano-Aeropuerto Reina Sofía, subiendo a Vilaflor y de aquí hasta Boca de Tauce. Sólo hemos

36

Arriba, senderismo en los alrededores del Parque Nacional.
Página de al lado, Parador de Turismo de Las Cañadas del Teide

Abajo, ermita de las Nieves.

La costa norte desde El Sauzal.
Página de al lado, casco antiguo de La Orotava.

Abajo, La Orotava desde el Mirador de Humboldt.
Doble página siguiente, Playa de San Marcos en Icod.

En la página de al lado, plataneras (arriba) y molino (abajo) en La Orotava.

En esta página Casa de los Balcones (arriba) y torre de Nuestra Señora de la Concepción (abajo) en La Orotava.

dado unas pocas opciones, las más usuales, hay muchas otras, basta con consultar cualquier mapa de carreteras.

Una vez en el Parque deben seguirse las indicaciones dispuestas por las autoridades. Es recomendable acudir al Centro de Visitantes, donde se nos dará todo tipo de información, especialmente si se pretende caminar por los distintos senderos que recorren el mismo. A disposición de los recién llegados está un servicios de guías, refugios, zona de picnic, así como un Parador de Turismo abierto todo el año y un teleférico que asciende hasta la cima del Teide, desde donde es posible contemplar otras islas del Archipiélago.

Vista nocturna de Puerto de la Cruz.

Lago Martiánez en Puerto de la Cruz. ▶

◀ Vista de Garachico.

Castillo de San Miguel en Garachico.

Arriba izquierda, Los Realejos.　　　　Arriba derecha, Drago de Icod de los Vinos.　　　　Abajo, Buenavista del Norte.